ÉDIPO REI

Diretor editorial
Henrique Teles

Produção editorial
Eliana S. Nogueira

Arte gráfica
Bernardo C. Mendes

Tradução
Gabriel Pangracio

Revisão
Mariângela Belo da Paixão

EDITORA GARNIER
Belo Horizonte
Rua São Geraldo, 67 – Floresta – Cep.: 30150-070 – Tel.: (31) 3212-4600
e-mail: vilaricaeditora@uol.com.br

Sófocles

ÉDIPO REI

GARNIER
desde 1844

Dados Internacionais de Catalogação na Publicação (CIP) de acordo com ISBD

S681e Sófocles

Édipo Rei / Sófocles ; traduzido por Gabriel Pangracio. - Belo Horizonte - MG : Garnier, 2021.

76 p. ; 14cm x 21cm.

Inclui índice.

ISBN: 978-65-86588-90-3

1. Literatura grega. 2. Teatro. 3. Teatro grego. 4. Sófocles.
I. Pangracio, Gabriel. II. Título.

2021-2237 CDD 882
CDU 821.1402-2

Índice para catálogo sistemático:

1. Literatura grega : Teatro 882
2. Literatura grega : Teatro 821.1402-2

PERSONAGENS:

ÉDIPO
SACERDOTE
CREON
CHORUS
TIRÉSIAS
JOCASTA
UM MENSAGEIRO
UM SERVO
UM EMISSÁRIO
CORO DOS ANCIÃOS DE TEBAS

[A ação se passa em Tebas, em frente ao palácio real. As portas principais estão voltadas diretamente para o público. Existem altares ao lado das portas. Uma multidão de cidadãos carregando galhos decorados com guirlandas de louro e lã são liderados pelo SACERDOTE. Estão reunidos em frente aos altares, com algumas pessoas sentadas nos degraus do altar. ÉDIPO entra pelas portas do palácio]

ÉDIPO: Meus filhos, a última geração nascida de Cadmo[1], por que estão sentados aqui com varas enroladas em súplica a mim, enquanto a cidade enche-se de incenso, cânticos e gritos de dor? Filhos, não seria apropriado para eu aprender sobre isso de qualquer outra fonte, então eu vim pessoalmente — eu, Édipo, cuja fama todos os homens reconhecem. Mas você aí, velho, diga-me, você parece ser o único quem deve falar por aqueles aqui reunidos. Que sentimento o traz a mim — medo ou desejo? Você pode ter certeza de que vou ajudar. Vou ajudá-lo de boa vontade em todos os sentidos. Eu seria um homem de coração duro, de fato, se eu não tivesse pena de suplicantes como esses.

SACERDOTE: Édipo, governante de minha terra natal, você vê como as pessoas aqui de todas as idades estão agachadas em torno de seus altares, alguns calouros mal fortes o suficiente para voar e outros curvados pela idade, com sacerdotes também — pois sou sacerdote de Zeus — e estes aqui, a escolha de todos os nossos jovens. Os outros grupos sentem-se no mercado com varas suplicantes ou então na frente dos dois santuários de Pallas[2], ou onde Ismenus[3] profetiza com fogo . A nossa cidade, como você pode ver, está muito abalada — ela não consegue levantar a cabeça acima das profundezas de tanta morte emergente. A doença infecta as flores das frutas em nossa terra, a doença infecta nossos rebanhos de gado em pasto, faz com que as mulheres em trabalho de parto percam

1. Cadmo: lendário fundador de Tebas. Consequentemente, os cidadãos de Tebas eram frequentemente chamados de filhos de Cadmo ou Cadmeianos.
2. Pallas: Pallas Athena. Havia dois santuários para ela em Tebas.
3. Ismenus: um templo para Apollo Isménios onde os holocaustos eram a base para o sacerdote da adivinhação.

seus filhos. E uma pestilência mortal, aquele deus ígneo desce para explodir a cidade, esvazia a Casa de Cadmo e preenche o Hades negro com gemidos e uivos. Essas crianças e eu agora sentamos aqui perto de sua casa, não porque pensamos que você é igual aos deuses. Não. Nós julgamos você o primeiro dos homens no que acontece nesta vida e em nossas interações com os deuses, pois você veio aqui, para a nossa cidade de Cadmeian, e nos libertou da homenagem que estávamos prestando para aquele cantor cruel[4] — e ainda assim você sabia não mais do que fizemos e não tínhamos sido ensinados. Em suas histórias, as pessoas testemunham como, com a ajuda dos deuses, você nos devolveu nossas vidas. Então agora, Édipo, nosso rei, o mais poderoso aos olhos de todos os homens, estamos aqui como suplicantes, todos implorando para que você encontre alguma ajuda para nós, seja ouvindo uma voz celestial ou aprendendo com algum outro ser humano. Em minha opinião, homens de experiência fornecem conselhos que dão os melhores resultados. Então agora, seu melhor dos homens, eleve nosso estado. Aja para consolidar sua fama, por enquanto, graças a sua ansiedade nos primeiros dias, a cidade celebra você como seu salvador. Não deixe nossa memória de sua decisão aqui declarar que primeiro fomos corrigidos novamente e depois caiu. Não. Restaure nossa cidade para que fique seguro. Naqueles tempos passados você nos trouxe alegria — e com bons presságios também.

4. Cantor cruel: uma referência à Esfinge, um monstro com corpo de leão, asas, cabeça e torso de mulher. Após a morte do rei Laio, a Esfinge tiranizou Tebas ao não deixar ninguém entrar ou sair da cidade, a menos que a pessoa pudesse responder ao seguinte enigma: "O que anda sobre quatro pernas pela manhã, em duas pernas ao meio-dia e três pernas à noite? Aqueles que não puderam responder foram mortos e comidos. Édipo deu a resposta (um ser humano) e assim salvou a cidade. A Esfinge então cometeu suicídio.

Seja o mesmo homem hoje. Se você deve governar como está fazendo agora, é melhor ser rei em uma terra de homens do que em um deserto. Um navio ou a muralha de uma cidade não é nada se nenhum homem compartilha sua vida lá.

ÉDIPO: Meus pobres filhos, eu sei por que vocês vieram... Não ignoro o que vocês anseiam, pois eu bem sei que estão doentes, e ainda, doentes como estão, não há um de vocês com uma doença igual a minha. A agonia vem para cada um de vocês como uma dor especial e para mais ninguém. Mas a alma dentro de mim sofre por mim mesmo, pela cidade, e por vocês — todos juntos. Vocês não estão me tirando de um sono profundo. Vocês devem saber que eu tenho derramado muitas lágrimas e, em meus pensamentos errantes, explorado muitos caminhos. Depois de uma pesquisa cuidadosa eu segui a única coisa que pude encontrar e agi de acordo. Então eu mandei meu cunhado, filho de Menoeceus, Creon, ao santuário de Pítio Apollo, aprender com ele o que posso fazer ou dizer para salvar nossa cidade. Mas quando eu conto os dias — o tempo que ele está fora — agora eu me preocupo com o que ele está fazendo. Pois ele se foi há muito tempo, e já deveria ter voltado. Quando ele vier, serei um homem mau se eu não agir de acordo com tudo o que Deus revelar.

SACERDOTE: O que você disse é mais apropriado, pois esses homens aqui acabaram de me informar que Creon está se aproximando.

ÉDIPO: Lorde Apollo, quando ele retornar, poderá encontrar uma fortuna brilhante, brilhante como seu semblante, cuide dele.

SACERDOTE: Parece que as notícias que ele traz são boas, senão, ele não usaria aquela coroa na cabeça, um louro densamente embalado com bagas[5].

ÉDIPO: Em breve saberemos — ele está ao alcance da voz.

[Entra CREON. ÉDIPO o chama quando ele se aproxima]

Meu parente real, filho de Menoeceus, que mensagem do deus você nos traz?

CREON: Boas notícias. Eu lhe digo até problemas difíceis de suportar, mas tudo terminará feliz se os eventos levarem à conclusão certa.

ÉDIPO: O que é o oráculo? Até agora suas palavras inspiraram em mim nenhuma confiança ou medo.

CREON: Se você deseja ouvir as notícias em público, estou preparado para falar. Ou podemos entrar.

ÉDIPO: Fale com todos. A dor que sinto por esses cidadãos é ainda maior do que qualquer dor que eu sinto por minha própria vida.

CREON: Então deixe-me relatar o que ouvi do deus: Lorde Phoebus claramente nos manda a mancha poluente que esta terra abrigou — que a terra não será curada se não continuarmos cuidando dela.

---

5. Bagas: um suplicante ao santuário de Apollo usava caracteristicamente tal guirlanda se recebesse notícias favoráveis.

ÉDIPO: Que tipo de limpeza? E este desastre — como isso aconteceu?

CREON: Por banimento — ou expiar o assassinato derramando sangue novamente. Este sangue traz a tempestade que destrói nosso estado.

ÉDIPO: E aquele cujo destino o deus revelou — que tipo de homem ele é?

CREON: Antes de você chegar, meu senhor, para dirigir nosso navio do estado, Laio governou esta terra.

ÉDIPO: Já ouvi isso, mas nunca vi o homem.

CREON: Laio foi morto. E agora o deus está claro: aqueles assassinos, ele nos diz, devem ser punidos, quem quer que sejam.

ÉDIPO: E onde estão? Em que país? Onde vou para encontrar um traço deste crime antigo? Será difícil rastrear.

CREON: Aqui em Tebas, assim disse o deus. O que é procurado é encontrado, mas o que é esquecido escapa.

ÉDIPO: Quando Laio caiu em uma morte sangrenta, onde ele estava — em casa, ou em seus campos, ou em outra terra?

CREON: Ele estava no exterior, a caminho de Delphi — isso é o que ele nos disse. Ele começou a viagem, mas não voltou.

ÉDIPO: Não havia mensageiro — nenhum companheiro que fez a jornada com ele e testemunhou o que aconteceu —

uma pessoa que possa fornecer algum conhecimento que os homens possam usar?

CREON: Todos eles morreram — exceto um que estava com medo e fugiu. Havia apenas uma coisa que ele poderia nos informar com confiança sobre as coisas que viu.

ÉDIPO: O que foi isso? Poderíamos chegar a algum lugar se tivéssemos um fato — poderíamos encontrar muitas coisas se possuíssemos alguma esperança tênue que nos leva adiante.

CREON: Ele nos disse que foram ladrões que os atacaram — não apenas um único homem, uma gangue deles — eles avançaram com força e o mataram.

ÉDIPO: Como um ladrão teria ousado fazer isso? A menos que ele tivesse ajuda financeira de Tebas!

CREON: Isso é o que imaginamos. Mas uma vez que Laio estava morto estávamos em apuros, então ninguém procurou vingança.

ÉDIPO: Quando o rei governante caiu desta forma, que problema ruim bloqueou seu caminho, impedindo você de olhar para ele?

CREON: Foi a Esfinge — ela cantou sua canção enigmática e, portanto, nos forçou a deixar de lado algo que achamos obscuro para examinar o problema urgente que enfrentamos agora.

ÉDIPO: Então vou começar de novo, e mais uma vez iluminar as trevas. É mais adequado que Apollo demonstre seu cuidado para com o homem morto, e que você também. E assim, como está certo, vai ver como eu trabalho com você, buscando vingança para esta terra, bem como para o deus. Esta mancha poluente vou remover, não por algum amigo distante, mas por mim. Quem matou este homem pode em breve desejar virar sua mão da mesma forma contra mim também, e me matar. Assim, ao vingar Laio, eu sirvo a mim mesmo. Mas agora, meus filhos, o mais rápido que puderem levantem-se desses degraus do altar e tomem seus ramos suplicantes. Alguém deve chamar o povo tebano para se reunir aqui. Eu farei tudo que puder. Com a ajuda de Deus tudo isso virá à tona com sucesso, ou então provará nossa ruína comum.

[ÉDIPO e CREON entram no palácio]

SACERDOTE: Levantemo-nos, crianças. Este homem declarou de bom grado exatamente por que viemos. E que Febo, que enviou este oráculo, venham como nosso salvador e acabe com nossa doença.

[O SACERDOTE e os CIDADÃOS partem. Entra o CORO DOS ANCIÕES DE TEBA]

CORO: Ó doce voz de Zeus, você veio para a gloriosa Tebas do dourado Pytho — mas qual é a sua intenção? Meu coração temeroso se contorce e treme de medo.
Ó curandeiro Delian, por quem choramos em voz alta em santo temor, que obrigação você vai exigir de mim? Uma coisa desconhecida ou agora renovada com os anos rotativos?
Voz imortal, ó filho da esperança dourada, fale comigo!
Primeiro eu chamo você, Atena, a imortal, filha de Zeus, e da sua irmã também, Artemis, que guarda nossa terra e se senta em seu glorioso trono redondo em nosso mercado e

Phoebus, que atira de longe. Ó vocês três guardiões contra a morte, apareçam para mim! Se antes vocês já dirigiram uma praga ardente para afastar o desastre da cidade e o baniram, então venham até nós desta vez também! Infelizmente, as dores que suporto são incontáveis — meu povo agora todo doente de praga, nossas mentes não podem encontrar armas para servirem como nossa defesa. Agora as proles de nossa esplêndida terra não crescem mais nem nossas mulheres chorando, em trabalho de parto, obtêm seu alívio de uma criança recém-nascida viva. Como vocês podem ver, um por um, eles se afastam, para as margens do deus da noite, como pássaros, mais rápido do que o fogo que ninguém pode resistir.
Nossa cidade morre — perdemos a conta de todos os mortos. Seus filhos jazem na terra sem piedade, sem lamentações. Os cadáveres espalham a peste, enquanto as esposas jovens e mães de cabelos grisalhos nos degraus do altar lamentam por toda parte e choram em súplica, procurando aliviar sua dor agonizante. Seus cantos solenes ressoam — eles se misturam com as vozes de lamento. Ó filha de ouro de Zeus, envie seu apoio e força com seu adorável semblante!
E aquele Ares voraz, deus da matança, que agora me consome enquanto ataca sem escudo de bronze, mas com gritos de batalha uivantes. Deixe-o virar as costas e sair rapidamente desta terra, com um vento favorável que o segue para carregá-lo para as grandes câmaras de Anfitrite[6] ou ondas inóspitas da Trácia. Pois, se a destruição não vem à noite, chega o dia para fazer a sua obra. Ó você que empunha aquele poderoso clarão de fogo, ó pai Zeus, com sua explosão deixe Ares ser destruído!

6. Anfitrite era uma deusa do mar, casada com Poseidon.

Ó senhor Liceu[7] , como eu desejo que aquelas flechas da corda dourada de seu arco dobrado, com sua força conquistadora, voem para nos defender contra nosso inimigo, e os fogos ardentes de Ártemis também, com os quais ela atravessa as colinas da Lícia. Eu chamo o deus que prende seus cabelos com ouro. Aquele cujo nome nosso país compartilha, aquele a quem as Maenads dirigem seus gritos: Dionísio com seu rosto radiante[8] . Que ele venha até nós com sua tocha flamejante, nosso aliado contra Ares, um deus desonrado entre os deuses.

[Entra ÉDIPO pelo palácio]

ÉDIPO: Você ora, Mas se me ouvir agora, você vai realizar o seu desejo. Ouça o que tenho a dizer e trate sua própria doença — então você pode esperar para encontrar alívio para a sua angústia. Eu devo falar como alguém que não conhece a história, um estranho ao crime. Se eu sozinho estivesse rastreando este ato, eu não iria longe sem uma única pista. Sendo esse o caso, pois foi depois do evento que me tornei um cidadão de Tebas, eu agora proclamo o seguinte a todos vocês, cadmeianos: a quem entre vocês que conhece o homem que assassinou Laio, filho de Labdaco, eu ordeno que revele tudo para mim. E se o assassino está com medo, eu digo a ele para evitar o perigo da carga principal falando contra si mesmo. Se for assim, ele será enviado para fora desta terra ileso — e não sofrer mais punições. Se alguém souber que o assassino é um estranho, de algum outro estado, que ele não

7. Senhor da Liceia: uma referência a Apollo, deus da luz.
8. As Maenads são as seguidoras de Dionísio.

fique mudo. Além de uma recompensa, ele receberá meus agradecimentos. Mas se ele ficar quieto, se alguém, através do medo, esconde-se ou um amigo seu, contra minhas ordens, aqui está o que devo fazer — então ouçam minhas palavras: eu decreto que ninguém nesta terra, na qual eu governo como seu próprio rei, dará abrigo àquele assassino ou falará com ele, seja ele quem for, ou agirá em conjunto com ele durante as orações, ou sacrifício, ou compartilhamento de água lustral[9] . Bani-lo de suas casas, cada um de vocês, pois ele é nossa poluição, como o deus Pythian acaba de revelar para mim. Ao fazer isso, estou agindo como um aliado do deus e de Laio morto também. E eu rezo quem quer que seja o homem que cometeu este crime, uma pessoa desconhecida agindo por conta própria ou com companheiros, a pior das agonias vai desgastar sua vida miserável. Eu rezo, também, que se ele se tornasse um convidado de honra em minha própria casa e com meu conhecimento, posso sofrer todas essas coisas que acabei de invocar sobre os assassinos. E eu peço a você agora para garantir que todos esses pedidos entrem em vigor, por minha causa, por causa de deus, e por nossa terra estéril, ímpia e arruinada. Pois neste assunto, mesmo se os deuses não estivessem nos alertando, não seria certo para você simplesmente deixar as coisas como estão, e não purificar o assassinato de um homem que era tão nobre e quem era seu rei. Você deveria ter investigado isso. Mas agora eu possuo o poder de governo que Laio detinha nos primeiros dias. Eu tenho sua cama e esposa — ela teria dado à luz a seus filhos, se suas esperanças não a tivessem decepcionado. Filhos de uma mãe comum poderim ter vinculado Laio e eu. Mas como acabou, o destino desceu sobre sua cabeça.

9. Água lustral: água purificada em um ritual religioso comunitário.

Então agora eu vou lutar em seu nome, como se ele fosse encontrar meu pai, e eu vou me esforçar para fazer tudo o que puder para encontrar, o homem que derramou seu sangue, e assim vingar o filho de Labdacus, descendente de Polydorus[10], de Cadmo e Agenor[11] dos velhos tempos. Quanto àqueles que não seguem o que eu exorto, rezo para que os deuses não lhes enviem terras férteis, não, nem quaisquer filhos no ventre de suas mulheres — que todos eles morram em nosso destino atual ou em um mais odioso ainda. Para vocês outros, vocês, cadmeianos, que apoiam meus esforços, que a justiça, nossa aliada, e todos os deuses atendam-nos sempre com gentileza.

LÍDER CHORUS: Meu senhor, já que você estende seu juramento a mim, eu direi isso: eu não sou o assassino, nem posso dizer quem é o assassino. Quanto ao que você está procurando, é Apollo, que lançou esta pesquisa, quem deve indicar quem o fez.

ÉDIPO: Bem dito. Mas nenhum homem tem poder para forçar os deuses a falar contra sua vontade.

LÍDER CHORUS: Posso então sugerir o que me parece o próximo melhor curso de ação?

ÉDIPO: Você pode, de fato, e se houver um terceiro curso também, não hesite em me avisar.

LÍDER CHORUS: Nosso senhor Tirésias, eu sei, pode ver as coisas, como o senhor Apollo. Ele, meu rei, um homem

---

10. Polydorus: filho de Cadmo, pai de Labdacus e, portanto, avô de Laio.
11. Agenor: fundador da família real tebana; seu filho Cadmo mudou-se de Sidon na Ásia Menor para a Grécia e fundou Tebas.

investigando, pode muito bem descobrir os detalhes do crime.

ÉDIPO: Eu cuidei disso — não é algo que poderia ignorar. A pedido de Creon, enviei dois mensageiros ele e tenho me perguntado há algum tempo por que ele não veio.

LÍDER CHORUS: Além disso, existem rumores, mas alguns inconclusivos, de muito tempo atrás.

ÉDIPO: Que tipo de boatos? Estou examinando todas as histórias.

LÍDER CHORUS: Foi dito que Laio foi morto por certos viajantes.

ÉDIPO: Sim, já ouvi isso. Mas ninguém viu aquele que fez isso.

LÍDER CHORUS: Bem, se o assassino tem algum medo, uma vez que ouve suas maldições, ele não vai se conter, pois ela são sérias.

ÉDIPO: Quando um homem não tem medo de fazer algo, ele não tem medo de palavras.

LÍDER CHORUS: Não, não é o caso quando alguém está lá para condená-lo. Mas finalmente Tirésias está sendo orientado aqui, nosso profeta divino, em quem a verdade reside mais do que em todos os outros homens.

[Entra TIRÉSIAS liderado por um pequeno MENINO]

ÉDIPO: Tirésias, você que entende todas as coisas — o que pode ser ensinado e o que não pode ser falado, o que se passa no céu e aqui na terra, você sabe, embora não possa ver, o quão doente é nosso estado. E assim encontramos em você sozinho, grande vidente, nosso escudo e salvador. Phoebus Apollo, caso você não tenha ouvido a notícia, enviou uma resposta à nossa pergunta: a única cura para esta pestilência infecciosa é encontrar os homens que assassinaram Laio e os matara ou então expulsá-los desta terra como exilados. Portanto, não esconda de nós suas profecias nas vozes dos pássaros ou por algum outro meio. Salve esta cidade e você. Resgata-me. Livra-nos dessa poluição dos mortos. Estamos em suas mãos. Para um homem mortal o melhor trabalho que ele pode fazer é ajudar com todo o seu poder outros seres humanos.

TIRÉSIAS: Ai, ai! Quão terrível pode ser ter sabedoria quando não traz nenhum benefício para o homem que a possui. Isso eu sabia, mas tinha escapado da minha mente. Por outro lado, eu não teria viajado até aqui.

ÉDIPO: O que há de errado? Você veio, mas parece tão triste.

TIRÉSIAS: Deixa-me ir para casa. Você deve carregar seu fardo até o fim, e eu carregarei o meu, se você concordar comigo.

ÉDIPO: O que você está dizendo não é habitual e mostra pouco amor em direção à cidade — estado que o alimentou — se você nos negar sua voz profética.

TIRÉSIAS: Vejo que as suas palavras também estão fora do lugar. Não falo por medo de fazer o mesmo.

ÉDIPO: Se você sabe de algo, então, pelo céu, não dê as costas.

Nós somos seus fornecedores — todos nós — dobramos nossos joelhos diante de você.

TIRÉSIAS: Vocês são todos ignorantes. Eu não vou revelar as coisas preocupantes dentro de mim, que posso chamar de sua dor também.

ÉDIPO: O que você está dizendo? Você sabe e não vai dizer? Você pretende me trair e destruir a cidade?

TIRÉSIAS: Não vou causar nem a mim nem a você angústia. Por que me questiona em vão assim? Você não vai aprender nada comigo.

ÉDIPO: O mais vergonhoso dos homens vergonhosos! Você irritaria um coração feito de pedra! Você não vai falar? Será que sua teimosia nunca terá fim?

TIRÉSIAS: Você culpa meu temperamento, mas não vê aquele que vive dentro de você. Em vez disso, está encontrando defeitos em mim.

ÉDIPO: Que homem que ouviu essas suas palavras não ficaria furioso — você insulta a cidade!

TIRÉSIAS: No entanto, os acontecimentos ainda se desenrolarão, apesar de todo o meu silêncio.

ÉDIPO: Já que eles virão, você deve me informar.

TIRÉSIAS: Não direi mais nada. Esbraveja-se sobre isso, se quiser, o mais ferozmente que puder.

ÉDIPO: Sim, sim. Na minha raiva não vou esconder apenas o que faço com isso. Você deveria saber que tenho a sensação de que conspirou no ato, e desempenhou o seu papel, tanto quanto você poderia fazer, longe de matá-lo com suas próprias mãos. Se você pudesse usar seus olhos, diria que fez esse trabalho sozinho.

TIRÉSIAS: É verdade? Então eu pedirei que obedeça as próprias palavras que você mesmo proclamou e de agora em diante não fale comigo ou com esses homens.
Pois o maldito poluidor desta terra é você.

ÉDIPO: Você se atreve a proferir palavras vergonhosas como essas? Você acha que pode escapar impune?

TIRÉSIAS: Estou me safando disso. A verdade dentro de mim me torna forte.

ÉDIPO: Quem lhe falou isso? Não poderia dizer sem receber informações.

TIRÉSIAS: Sim. Eu não queria falar, mas você me incitou.

ÉDIPO: O que você quer dizer? Fale de novo, para que eu possa entender você com mais precisão.

TIRÉSIAS: Você não compreendeu minhas palavras antes ou está tentando me testar com sua pergunta?

ÉDIPO: Não entendi bem suas palavras. Diga-me de novo.

TIRÉSIAS: Eu digo que você mesmo é o homem que está procurando.

ÉDIPO: Essa é a segunda vez que você declarou uma mentira vergonhosa — algo que você vai se arrepender.

TIRÉSIAS: Devo dizer-lhe mais para ficar ainda mais furioso?

ÉDIPO: Tanto quanto você deseje. Será inútil.

TIRÉSIAS: Eu digo que com a sua querida família, desconhecida para você, você está vivendo em desgraça. Você não tem ideia de como as coisas estão ruins.

ÉDIPO: Você realmente acha que pode simplesmente falar, dizer coisas horríveis, e ainda assim permanecer impune?

TIRÉSIAS: Sim, posso, se a verdade tiver alguma força.

ÉDIPO: Sim, mas não para você. A verdade não está em você — pois seus ouvidos, sua mente, seus olhos estão cegos!

TIRÉSIAS: Você é um tolo miserável por usar palavras ásperas que todos os homens em breve usarão para amaldiçoá-lo.

ÉDIPO: Você vive na escuridão infinita da noite, então você nunca poderá me machucar ou a qualquer homem que pode vislumbrar a luz do dia.

TIRÉSIAS: Não é o teu destino cair por minha causa. Depende de Apollo para fazer isso acontecer. Ele será o suficiente.

ÉDIPO: Isso é algo que Creon inventou, ou é sua invenção?

TIRÉSIAS: Creon não é uma ameaça. Você causou esse problema sozinho.

ÉDIPO: Ó riquezas, poder governante! Habilidade após habilidade superando todas as rivalidades desta vida, quanta inveja deve carregar com você por este cargo real que a cidade me deu, pois eu não o procurei. Creon, meu velho amigo de confiança da família, secretamente conspirou para me derrubar e pagou um charlatão duplo como este, um sacerdote astuto, que só pode ver sua própria vantagem, que em sua arte especial é absolutamente cego. Vamos, me diga como você já deu provas de sua sábia profecia? Quando a Esfinge, aquela vadia cantora, estava aqui, você não disse nada para libertar as pessoas. Por que não? O enigma dela não foi algo que o primeiro homem a passear poderia resolver — um profeta era necessário. E lá as pessoas viram que seu conhecimento não adiantava — nada dos pássaros ou dos deuses. Mas então eu vim; eu, Édipo, que não sabia de nada. No entanto, eu acabei com ela, usando minha inteligência em vez de depender de pássaros. Esse é o homem que você quer derrubar, esperando, sem dúvida, para ficar lá com Creon, uma vez que ele seria rei. Mas eu acho que você e o conspirador vão se arrepender de tentar usurpar o estado. Se você não fosse tão velho descobriria o castigo que sua arrogância merece.

LÍDER CHORUS: Para nós, soou que Tirésias falou com raiva, e, Édipo, você também fez isso. Não é disso que precisamos. Em vez disso, devemos pensar: qual a melhor forma de cumprir o decreto de Deus?

TIRÉSIAS: Você pode ser rei, mas eu tenho o direito de responder a você — e eu controlo esse direito, pois não sou seu escravo. Eu sirvo Apollo, e, portanto, nunca ficaria com Creon, inscrito como seu homem. Então eu digo isso a você, já que escolheu insultar minha cegueira — você tem sua visão, e não vê quão miserável você é, ou onde mora, ou quem compartilha sua família. Conhece a família de onde você vem? Sem o seu conhecimento, você se tornou o inimigo de sua própria parentela, aqueles no mundo abaixo e aqueles aqui em cima, e os pés terríveis daquela maldição de dois gumes de pai e mãe vão levá-lo desta terra ao exílio. Esses seus olhos, que agora podem ver tão claramente, estarão escuros. Que porto não ecoará os seus gritos? Na Cithaeron[12] eles não serão ouvidos tão cedo, uma vez que você aprendeu a verdade sobre o casamento pelo qual você navegou para esta casa real — uma viagem adorável, mas o porto está condenado? Você não tem ideia da quantidade de outros problemas que irão atormentá-lo, no infortúnio, e a seus próprios filhos. Então vá em frente — continue insultando Creon e minhas profecias, pois entre todos os mortais ninguém será destruído mais miseravelmente do que você.

ÉDIPO: Devo tolerar essa insolência? Saia, e que a praga vá com você! Fora! Agora! Vire as costas e vá embora! E não volte aqui para a minha casa novamente.

TIRÉSIAS: Eu não teria vindo, mas você me convocou.

ÉDIPO: Não sabia que falaria tão estupidamente. Se eu soubesse, você teria esperado muito tempo antes de chamá-lo aqui.

---

12. Cithaeron: a montanha sagrada fora de Tebas.

TIRÉSIAS: Eu nasci assim. Você acha que eu sou um tolo, mas para seus pais, aqueles que fizeram você, eu fui sábio o suficiente.

ÉDIPO: Espere! Meus pais? Quem foi meu pai?

TIRÉSIAS: Este dia irá revelar isso e destruí-lo.

ÉDIPO: Tudo o que você fala é tão obscuro — como um enigma.

TIRÉSIAS: Bem, para resolver enigmas, você não é o melhor que existe?

ÉDIPO: Zombe de minha excelência, mas você descobrirá que sou realmente grande.

TIRÉSIAS: Essa sua qualidade agora o arruína.

ÉDIPO: Não me importa, se salvei a cidade.

TIRÉSIAS: Eu irei agora. Rapaz, leve-me embora.

ÉDIPO: Sim, deixe-o guiá-lo de volta. Você está no caminho. Se você ficar, só vai me provocar. Assim que for embora, você não vai me irritar mais.

TIRÉSIAS: Estou indo. Mas primeiro vou lhe dizer por que vim. Eu não temo a cara de seu descontentamento — não há como você me destruir. Digo-lhe: o homem que você tem procurado todo esse tempo enquanto proclama ameaças e dá ordens sobre aquele que assassinou Laio — esse homem está aqui. De acordo com relatos, ele é um estranho que mora aqui em Tebas. Mas ele provará ser um tebano nativo. Dessa mudança ele não obterá nenhum prazer. Ele ficará cego, embora agora possa ver. Ele será pobre, embora agora seja rico. Ele partirá para um país estrangeiro tateando o chão a sua frente com um pedaço de pau. E ele vai acabar sendo o irmão das crianças em sua casa — o pai deles também, ambos ao mesmo tempo, e o marido e o filho da própria mulher que os deu à luz. Ele semeou o mesmo ventre que seu pai e o matou. Entre e pense sobre isso. Se você descobrir que falei falsamente, pode dizer que não tenho habilidade em profecia.

[Sai TIRÉSIAS conduzido pelo MENINO.
ÉDIPO vira e vai de volta ao palácio]

CORO: Falando da rocha Délfica a voz oracular entoou um nome. Mas quem é o homem, aquele quem com suas mãos vermelho-sangue fez brutalidade indescritível? Chegou a hora de ele fugir — mover seu pé poderoso mais rápido do que aqueles cascos em cavalos cavalgando na tempestade. Contra ele o filho de Zeus[13] agora surge armado com fogo relâmpago e conduzindo as Fúrias[14] inexoráveis e aterrorizantes.
Dos picos nevados do Monte Parnaso[15] a mensagem acabou de aparecer, ordenando todos para procurar aquele que ninguém conhece.
Como um touro selvagem ele vagueia agora, escondido na floresta indomada, através de rochas e cavernas, sozinho com seu desespero em pés tristes, mantendo sua distância

13. Filho de Zeus: uma referência a Apollo.
14. As Fúrias: deusas da vingança de sangue.
15. Parnassus: uma montanha famosa a alguma distância de Tebas, mas visível da cidade.

daquele destino proferidO na pedra naval central da terra. Mas aquele oráculo fatal ainda vive, pairando acima de sua cabeça para sempre.

Esse sábio intérprete de profecias desperta meus medos, um pavor inquietante. Eu não posso aprovar o que ele disse e não posso negar. Estou confuso. O que eu devo dizer? Minhas esperanças vibram aqui e ali, sem um vislumbre claro do passado ou do futuro. Eu nunca ouvi falar de nenhuma briga, passada ou presente, entre aqueles dois, da casa de Labdacus[16] e os filho de Polybus[17], o que poderia me dar evidências suficientes para minar a fama de Édipo, enquanto ele busca vingança pelo assassinato não resolvido para a família de Labdacus.

Apollo e Zeus são verdadeiramente sábios — eles entendem o que os humanos fazem. Mas não há maneira certa de verificar se os profetas humanos entendem as coisas mais do que eu, embora em sabedoria um homem pode deixar outro bem para trás. Mas até que eu veja as palavras confirmadas não vou aprovar nenhum homem que censurada Édipo, pois ficou claro que quando aquela Esfinge alada foi atrás dele, ele era um homem sábio então. Nós testemunhamos isso. Ele passou no teste e se tornou querido por todos da cidade. Então, em meu pensamento agora, ele nunca será culpado de um crime.

[Entra CREON]

CREON: Cidadãos, acabei de descobrir que Édipo, nosso rei, levantou cargas contra mim, alegações perturbadoras.

---

16. A casa de Labdacus é a família real tebana (ou seja, Laio, Jocasta e Creon).
17. Polybus: governante de Corinto, que criou Édipo e, portanto, acredita-se que seja seu pai.

Isso eu não posso suportar, então vim aqui. Nestes problemas atuais, se ele acredita que sofreu qualquer lesão de mim, em palavra ou ação, então eu não tenho desejo feita por para continuar vivendo até a velhice suportando sua reprovação. Para mim a lesão produzida por este relatório não é uma questão de pormenor — não, tem o maior escopo de todos, se eu acabar sendo chamado de homem mau aqui na cidade, um mau cidadão, por você e por meus amigos.

LÍDER CHORUS: Talvez ele tenha cobrado de você estimulado pelo poder impetuoso de sua raiva, ao invés do verdadeiro julgamento de sua mente.

CREON: Foi divulgado que minhas opiniões convenceram Tirésias a proferir mentiras?

LÍDER CHORUS: Isso foi dito. Eu não faço ideia exatamente o que isso significava.

CREON: Ele me acusou e anunciou a criminação com um olhar firme, em um estado de espírito normal?

LÍDER CHORUS: Não sei. O que pensam os que estão no poder eu não vejo. Mas ele está se aproximando do palácio — lá vem ele em pessoa.

[Entra ÉDIPO pelo palácio]

ÉDIPO: Você! Como você chegou aqui? Seu rosto ficou tão ousado que você agora vem para a minha própria casa — você que é obviamente o assassino do homem cuja casa pertencia —, um ladrão que claramente quer roubar meu trono? Venha, em nome de todos os deuses, diga-me isso — você planejou fazer isso porque pensou que sou covarde ou idiota? Ou você pensou que eu não saberia de suas ações enquanto eles se aproximavam de mim com tal engano — ou que, se eu soubesse, não poderia desviá-los? Esta tentativa sua, não é uma loucura — para perseguir o lugar do rei sem amigos, sem uma horda de homens, para buscar uma meta que apenas ouro ou facções poderiam alcançar?

CREON: Você vai me ouvir? Agora é a sua vez de me ouvir dar uma resposta adequada. Depois de saber, julgue-me por si mesmo.

ÉDIPO: Você é um falador inteligente. Mas de você não vou aprender nada. Eu o conheço agora — um encrenqueiro, um inimigo meu.

CREON: Pelo menos primeiro ouça o que tenho a dizer.

ÉDIPO: Há uma coisa que você não precisa me dizer — você me traiu.

CREON: Se você pensa que ser teimoso e esquecer o bom senso é sábio, então você não está pensando como deveria.

ÉDIPO: E se você acha que pode agir para ferir um homem que é parente seu e escapar sem penalidade, então você não está pensando como deveria.

CREON: Eu concordo. O que você acabou de dizer faz sentido. Então me diga a natureza do dano o que você alega estar sofrendo por minha causa.

ÉDIPO: Você me convenceu ou não a mandar chamar Tirésias, aquele profeta?

CREON: Sim. E eu ainda lhe daria o mesmo conselho.

ÉDIPO: Há quanto tempo Laio...

CREON: Fez o quê? O que Laio tem a ver com tudo?

ÉDIPO: Desde que Laio foi carregado e desapareceu, desde que ele foi morto tão brutalmente?

CREON: Isso foi há muito tempo — muitos anos se passaram desde então.

ÉDIPO: Naquela época, Tirésias era tão hábil em profecia?

CREON: Sim, como agora, ele foi homenageado por sua sabedoria.

ÉDIPO: E naquela época ele alguma vez me mencionou?

CREON: Não, nunca — não enquanto eu estava com ele.

ÉDIPO: Você não investigou a matança?

CREON: Sim, claro que sim. Mas não encontramos nada.

ÉDIPO: Por que esse homem, esse homem sábio, não falou?

CREON: Não sei. E quando eu não sei de algo, gosto de ficar de boca fechada.

ÉDIPO: Você sabe o suficiente — pelo menos você entende o suficiente para dizer ...

CREON: O quê? Se eu realmente sei de algo eu não vou negar.

ÉDIPO: Se Tirésias não estivesse trabalhando com você, ele não me chamaria como aquele que assassinou Laio.

CREON: Que ele disse isso, você bem sabe. Mas eu acho que chegou a hora de eu questionar do jeito que você tem me questionado.

ÉDIPO: Pergunte o que quiser. Você não vai provar que eu sou o assassino.

CREON: Então me diga: você não é casado com minha irmã?

ÉDIPO: Já que você me pergunta, sim. Eu não nego isso.

CREON: E vocês dois governam esta terra como iguais?

ÉDIPO: Tudo o que ela deseja, ela recebe de mim.

CREON: E eu não sou o terceiro, igual a vocês dois?

ÉDIPO: É isso que torna sua amizade tão enganosa.

CREON: Não, não se você pensar bem, como eu. Primeiro, considere isso: na sua opinião, para alguém seria preferível governar e ter que lidar com o medo ao invés de viver em paz, despreocupado e seguro, se seus poderes fossem os mesmos? Eu, por exemplo, não tenho desejo natural de ser rei em preferência à realização de atos reais. O mesmo é verdade para qualquer outro homem cujo entendimento capta as coisas de maneira adequada. Por enquanto eu consigo tudo que eu quero de você, mas sem medo. Se eu fosse rei, eu estaria fazendo muitas coisas contra minha vontade. Então, como pode ser um rei ser mais doce para mim do que o poder real sem ansiedade? Eu ainda não estou tão enganado em minha mente para querer coisas que não trazem benefícios. Agora saúdo todos os homens e todos me dão as boas-vindas. Aqueles que desejam obter algo de você agora me elogie, já que sou eu quem traz sucesso no que eles querem. Então por que eu desisti de tais benefícios por outra coisa? Uma mente que é sábia não se tornará traiçoeira. Não é minha natureza amar essas políticas. E se outro homem perseguisse essas coisas, eu não trabalharia com ele. Eu não conseguiria suportar. Se você quiser uma prova disso, vá para Delphi. Pergunte ao profeta se eu trouxe de volta para você exatamente o que foi dito. Nesse ponto, se você descobrir que planejei algo, que conspirei com Tirésias, então me prenda e me mande matar, não apenas por sua própria autoridade, mas pela minha também, um duplo julgamento, dois votos. Não me condene com uma acusação não comprovada. Não é justo julgar essas coisas por suposições, presumir que os homens maus são bons ou que os homens bons são maus. Na minha opinião, jogar fora um nobre amigo é como um homem que tira da sua própria vida, a coisa mais querida para ele. Dê um tempo. Então você verá claramente, já que apenas o tempo pode validar totalmente um homem que é verdadeiro. Um homem mau é exposto em apenas um dia.

LÍDER CHORUS: Para um homem preocupado em ser morto, meu senhor, ele falou eloquentemente. Aqueles que não são confiáveis dão conselhos precipitados.

ÉDIPO: Se algum conspirador se mover contra mim, em segredo e com rapidez, devo ser rápido para fazer meus planos contrários. Se eu apenas descansar e esperar ele agir, então ele terá sucesso no que ele quer fazer, e eu estarei acabado.

CREON: O que você quer — me exilar daqui?

ÉDIPO: Não. Eu quero que você morra, não apenas fuja — para que eu possa demonstrar o que significa inveja.

CREON: Você está determinado a não mudar de ideia e não me escutar?

ÉDIPO: Você não vai me convencer, pois não há como eu confiar em você.

CREON: Eu posso ver que você se tornou desequilibrado[18] .

ÉDIPO: Estou são o suficiente para defender meus interesses.

CREON: Você deveria estar protegendo o meu também.

ÉDIPO: Mas você é um homem traiçoeiro. É a sua natureza.

CREON: E se você estiver errado?

ÉDIPO: Eu ainda tenho que governar.

CREON: Não se você fizer o que é justo.

---

18. Há alguma discussão sobre quem fala quais linhas em 622-626 do texto grego. Sigo as sugestões de Jebb, atribuindo 625 a Creon, a quem parece claramente pertencer (apesar dos manuscritos) e adicionar uma linha para indicar a resposta de Édipo.

ÉDIPO: Oh, Tebas — minha cidade!

CREON: Eu também tenho alguns direitos sobre Tebas — não é só sua.

[As portas do palácio se abrem]

LÍDER CHORUS: Meus senhores, um fim para isso. Eu vejo Jocasta vindo do palácio, e bem na hora. Com a ajuda dela você deve encerrar esta discussão.

[Entra JOCASTA pelo palácio]

JOCASTA: Seus homens tolos, por que vocês estão discutindo de uma forma tão boba? Com nossa terra tão doente, vocês não têm vergonha de começarem uma briga privada? Você, Édipo, entre em casa, e você, Creon, volte para a sua. Por que explodir um assunto trivial em algo enorme?

CREON: Irmã, seu marido Édipo pretende me punir de uma das duas formas terríveis — me banir do país dos meus pais ou me prender e me matar.

ÉDIPO: Isso mesmo. Senhora, eu o peguei cometendo traição, conspirando contra minha autoridade real.

CREON: Não me deixe prosperar, que eu morra como um homem amaldiçoado, se eu tiver feito o que você me acusa.

JOCASTA: Édipo, pelo amor dos deuses, confie nele. Respeite aquele juramento que ele fez diante de todo o céu — faça isso por mim e por aqueles ao seu redor.

LÍDER CHORUS: Eu imploro, meu senhor, consinta com isso — concordo com ela.

ÉDIPO: O que é então que você está me pedindo para fazer?

LÍDER CHORUS: Preste o devido respeito a Creon. Ele não foi tolo no passado, e agora aquele juramento que ele fez tem poder.

ÉDIPO: Você está ciente do que está pedindo?

LÍDER CHORUS: Sim. Eu entendo.

ÉDIPO: Então me diga exatamente o que você está dizendo.

LÍDER CHORUS: Você não deve acusar um amigo seu e, assim, desonrá-lo com uma mera história que pode não ser verdade, quando ele fez um juramento e, portanto, pode estar sujeito a uma maldição.

ÉDIPO: Neste ponto, você deve entender claramente, quando você solicita isso, o que você está fazendo — procurando me exilar de Tebas ou me matar.

LÍDER CHORUS: Não, não, pelo sagrado Helios, o deus de quem se destaca antes do resto, que eu morra a mais miserável das mortes, abandonado pelos deuses e pelos meus amigos, se eu alguma vez acalentei tal pensamento! Mas a destruição de nossa terra desgasta o coração perturbado dentro de mim — e também, se vocês dois adicionarem novos problemas àqueles que há tanto tempo nos afligem.

ÉDIPO: Deixe-o ir então, embora esteja claro, devo ser morto ou mandado daqui para o exílio, forçado a sair em desgraça. Eu fui movido a agir com compaixão pelo que você disse, não pelas palavras de Creon. Mas se ele ficar aqui, vai ser odioso para mim.

CREON: Você é obstinado — obviamente infeliz em admitir, e quando você perde a paciência, você vai longe demais. Mas homens assim acham mais difícil a tolerância. Nisso há justiça.

ÉDIPO: Por que não ir — apenas me deixe em paz.

CREON: Eu vou embora — desde que eu vejo que você não me entende. Mas esses homens aqui sabem que sou um homem razoável.

[Sai CREON para longe do palácio, deixando ÉDIPO e JOCASTA e o CHORUS no palco]

LÍDER CHORUS: Senhora, você vai acompanhar nosso rei para dentro?

JOCASTA: Sim, depois de saber o que aconteceu aqui.

LÍDER CHORUS: Eles conversaram — suas palavras deram origem a suspeitas desinformadas, uma consumidora falta de justiça adequada.

JOCASTA: Dos dois?

LÍDER CHORUS: Sim.

JOCASTA: O que causou isso?

LÍDER CHORUS: Com o nosso país já em perigo, é o suficiente, parece-me, deixar as coisas como estão.

ÉDIPO: Agora você vê o ponto que alcançou graças ao seu nobre desejo de dissolver e entorpecer meu propósito mais firme?

LÍDER CHORUS: Meu senhor, eu declarei isso mais de uma vez, então você deve saber que teria sido muito louco se eu o abandonasse, quem, quando esta terra, minha querida Tebas, estava com grandes problemas, acertou novamente e quem, nestes tempos difíceis que agora nos consomem, deve revelar-se um guia confiável?

JOCASTA: Por todos os deuses, meu rei, me avise porque nesta crise atual você agora sente uma raiva ininterrupta.

ÉDIPO: Vou falar com você, senhora, já que eu respeito você mais do que a esses homens. É culpa de Creon. Ele conspirou contra mim.

JOCASTA: Nessa briga o que foi dito? Diga-me.

ÉDIPO: Creon afirma que eu sou o assassino — que matei Laio.

JOCASTA: Ele sabe disso em primeira mão, ou ele pegou de outra pessoa?

ÉDIPO Não. Ele ouviu aquele profeta traidor. O que ele mesmo diz parece inocente.

JOCASTA: Tudo bem, esqueça o que você disse. Ouça-me e acalme sua mente com isso — nenhum ser humano tem habilidade em profecia. Vou mostrar o porquê com este exemplo. O rei Laio certa vez recebeu uma profecia. Não vou dizer que veio direto de Apollo, mas era daqueles que ajudam o deus. Dizia que Laio estava fadado a ser morto por uma criança concebida por ele e por mim. Agora, pelo menos de acordo com a história, um dia Laio foi morto por estrangeiros, por ladrões, em um lugar onde três estradas se encontram. Além disso, antes de nosso filho completar três dias, Laio fundiu seus tornozelos bem juntos e ordenou que outros homens o colocassem em uma rocha de montanha onde ninguém nunca vai. E então o plano de Apollo de que ele se tornaria aquele que matou seu pai não funcionou, e Laio nunca sofreu o que temia, que seu próprio filho seria seu assassino, embora tenha sido isso que o oráculo reivindicou. Portanto, não se preocupe com profecias. O que quer que os deuses pretendam trazer eles próprios tornam conhecido com bastante facilidade.

ÉDIPO: Senhora, enquanto ouço estas suas palavras, minha alma está abalada, minha mente confusa...

JOCASTA: Por que você diz isso? O que está te preocupando?

ÉDIPO: Pensei ter ouvido você dizer que Laio foi assassinado em um lugar onde três estradas se encontram.

JOCASTA: Isso foi dito e as pessoas ainda acreditam.

ÉDIPO: Onde é esse lugar? Onde isso aconteceu?

JOCASTA: Em uma terra chamada Phocis. Duas estradas levam até lá — uma da Delphi e uma da Daulia.

ÉDIPO: Há quanto tempo esses eventos aconteceram?

JOCASTA: A história foi contada na cidade pouco antes de você assumir o poder real aqui em Tebas.

ÉDIPO: Óh Zeus, o que você fez? O que você planejou para mim?

JOCASTA: O que é, Édipo? Por que seu espírito está tão perturbado?

ÉDIPO: Ainda não, sem perguntas ainda. Diga-me isso — Laio, quão alto ele era? Qual a sua idade?

JOCASTA: Ele era' grande — seu cabelo estava ficando branco. Em forma, ele não era muito diferente de você.

ÉDIPO: O pior para mim! Posso ter acabado de me definir sob uma terrível maldição sem meu conhecimento!

JOCASTA: O que você quer dizer? Enquanto eu olho para você, meu rei, eu começo a tremer.

ÉDIPO: Estou com medo, cheio de terríveis medos que o profeta vê. Mas você pode revelar isso melhor se agora vai me dizer mais uma coisa.

JOCASTA: Estou tremendo, mas se você me perguntar, eu responderei.

ÉDIPO: Laio tinha uma pequena escolta com ele ou uma tropa de soldados, como um rei real?

JOCASTA: Cinco homens, incluindo um arauto, foram com ele. Uma carruagem carregava Laio.

ÉDIPO: Ai de mim! Ai de mim! Está tudo muito claro! Senhora, quem lhe disse isso?

JOCASTA: Um servo — o único que escapou. Ele voltou aqui.

ÉDIPO: Existe alguma chance dele estar em nossa casa agora?

JOCASTA: Não. Uma vez que ele voltou e entendeu que você tinha agora assumido o poder de Laio massacrado, ele apertou minhas mãos, implorou-me para mandá-lo embora para onde nossos animais pastam nos campos, para que ele pudesse estar o mais longe possível da vista da cidade. E então eu o enviei. Ele era um escravo, mas ganhou minha gratidão. Ele merecia um favor ainda maior.

ÉDIPO: Eu gostaria que ele voltasse aqui para nós, e rapidamente também.

JOCASTA: Isso pode ser arranjado — mas por que isso é algo que você gostaria de fazer?

ÉDIPO: Senhora, receio ter falado demais. É por isso que quero vê-lo aqui na minha frente.

JOCASTA: Então ele estará aqui. Mas agora, meu senhor, eu mereço saber por que você está tão angustiado.

ÉDIPO: Meus pressentimentos agora cresceram tanto que eu não vou escondê-los de você. Meu pai era Polybus de Corinto, minha mãe Merope, uma Dorian. Lá fui considerado o melhor homem em toda a cidade, até que, por acaso, algo realmente surpreendente aconteceu, embora não valha a pena o que me levou a fazer. Em um jantar, um homem que estava bastante bêbado de muito vinho começou a gritar comigo, alegando que eu não era o filho verdadeiro do meu pai. Isso me incomodou, mas por um dia pelo menos eu não disse nada, embora fosse difícil. No dia seguinte fui perguntar aos meus pais, meu pai e minha mãe. Eles estavam com raiva do homem que os insultou desta forma, então eu fiquei tranquilo. Mas, no entanto, a acusação sempre me incomodou — a história se tornou bem conhecida em todos os lugares. E então fui em segredo para a Delphi. Eu não contei para minha mãe ou meu pai. Apollo me mandou de volta sem resposta, então eu não achei o que fui encontrar. Mas quando ele falou, ele proferiu coisas monstruosas, terrores estranhos e misérias horríveis — era meu destino contaminar a cama da minha mãe, para trazer aos homens uma família humana que as pessoas não suportariam olhar e iria assassinar o pai que me gerou. Quando soube disso, fugi de Corinto. A partir de então pensei nisso apenas como um lugar sob as estrelas. Eu fui para outras terras, então eu nunca veria essa profecia cumprida, a abominação do meu destino maligno. Em minhas viagens me deparei com aquele lugar no qual você diz que seu rei foi assassinado. E agora, senhora, vou lhe dizer a verdade. Como eu estava em movimento, passei por perto de um ponto onde três estradas se encontram, e nesse lugar eu conheci um arauto e uma carruagem puxada por cavalos. Dentro havia um homem como você descreveu. O guia tentou me forçar a sair da estrada — e o velho também se envolveu pessoalmente. Na minha raiva, eu ataquei o motorista, que estava me empurrando para o lado. O velho, me vendo passando por ele na carruagem, ficou de olho em mim, e com seu chicote duplo bateu na minha cabeça, bem aqui em cima. Bem, eu retaliei em boa medida — eu dei um golpe rápido nele com o bastão que segurava e o joguei de sua carruagem para a estrada. Ele ficou deitado de costas. Então matei todos eles. Se aquele estranho estava de alguma forma ligado a Laio, quem agora é mais infeliz do que eu? Que homem poderia ser mais odioso para os deuses? Nenhum estranho e nenhum cidadão pode recebê-lo em suas vidas ou falar com ele. Em vez disso, eles devem mantê-lo longe de suas portas, uma maldição eu coloquei sobre mim mesmo. Com estas minhas mãos, essas mãos do assassino, eu agora contamino a cama do homem morto. Eu não sou depravado? Não sou totalmente abominável? Agora devo voar para o exílio e lá ficar fugitivo, nunca ver meu povo, nunca mais colocarei os pés em minha terra natal — ou então devo me casar com minha mãe e matar meu pai, Polybus, que me criou, o homem que me deu vida. Se alguém alegou que isso veio de algum deus malévolo, ele não estaria certo? Ó vocês deuses, seus deuses puros e abençoados, que eu não veja esse dia! Deixe-me antes desaparecer da vista dos homens, antes que eu veja um destino como esse passar por cima de mim.

LÍDER CHORUS: Meu senhor, para nós essas coisas são agourentas. Mas você deve manter sua esperança até ouvir o servo que estava presente no momento.

ÉDIPO: Ainda tenho alguma esperança, pelo menos o suficiente para esperar pelo homem que convocamos dos campos.

JOCASTA: Quando ele vier, o que você espera ouvir?

ÉDIPO: Eu vou te dizer: se descobrirmos o que ele diz corresponde ao que você diz, então eu escaparei do desastre.

JOCASTA: O que foi tão notável no que eu disse?

ÉDIPO: Você disse que em sua história o homem afirmou que Laio foi assassinado por um bando de ladrões. Se ele ainda disser que havia vários homens, então eu não era o assassino, já que um homem nunca poderia ser confundido com uma multidão. Mas se ele disser que foi um homem sozinho, então eu sou o único responsável por isso.

JOCASTA: Bem, isso é certamente o que ele relatou então. Ele agora não pode retirar o que disse uma vez. Toda a cidade o ouviu, não só eu. Mas mesmo que ele mude as velhas notícias, ele nunca pode demonstrar, meu senhor, que o assassinato de Laio se encaixa na profecia. Apollo disse claramente que o homem morreria nas mãos de uma criança nascida de mim. Agora, como aquele nosso filho infeliz poderia matar Laio, quando ele havia morrido muito antes? Então, no que diz respeito a esses ditos oraculares, eu não procuraria confirmação em lugar nenhum.

ÉDIPO: Você está certa no que diz. Mas, no entanto, mande chamar aquele camponês. Não deixe de fazer isso.

JOCASTA: Vou chamá-lo aqui o mais rápido possível. Vamos entrar. Eu não vou fazer nada que não encontre a sua aprovação.

[ÉDIPO e JOCASTA entram no palácio juntos]

CORO: Rezo para que o destino ainda me considere digno, demonstrando piedade e reverência em tudo que digo e faço — em tudo nossas tradições mais elevadas consagram, aquelas leis engendradas nos céus celestiais, cujo único pai é o Olimpo. Eles não nasceram de homens mortais, nem vão dormir e serem esquecidos. Neles vive um deus poderoso e eterno. A insolência dá origem à tirania — aquela insolência que em vão se empanturrou e transborda com tantas coisas além do que é certo ou benéfico, que uma vez que escalou o telhado mais alto, é arremessado para baixo à força — uma queda tão rápida não há aterrissagem segura em pé. Mas eu rezo para que Deus nunca abole a rivalidade tão benéfica para o nosso estado. Aquele deus que guardarei para sempre, aquele que permanece como nosso protetor[19].

Mas se um homem se comporta desdenhosamente no que ele diz e faz, e não manifesta medo da justiça, nenhuma reverência pelas estátuas dos deuses, que o destino miserável se apodere de tal homem por sua arrogância desastrosa, se ele não se comporta com justiça quando ele se esforça para se beneficiar, se apropria de todas as coisas impiamente, e, como um tolo, profana o sagrado. Que homem há que faz essas coisas quem ainda pode reivindicar que vai repelir a flecha dos deuses apontada para seu coração? Se tais ações forem consideradas dignas, por que devemos dançar para homenagear a Deus? Não irei mais em reverência para a pedra sagrada, o centro da terra, ou para o templo em Abae ou Olympia, se essas profecias não forem cumpridas e se manifestam aos homens mortais. Mas você, conquistador e governante

---

19. Esta parte da canção coral faz uma distinção importante entre duas formas de ação autoafirmativa: a primeira gera autoengrandecimento e ganância; a segunda é necessária para a proteção do estado.

Zeus, se por direito esses nomes pertencem a você, não deixe que isso fuja de você e de seu poder eterno. Os oráculos antigos que lidavam com Laio estão murchando — os homens agora os colocam de lado. Em nenhum lugar Apollo é homenageado publicamente, e nossa fé religiosa está morrendo.

[JOCASTA entra pelo palácio e se dirige a um altar para Apollo que fica fora das portas do palácio. Ela está acompanhada por um ou dois SERVOS]

JOCASTA: Seus principais homens de Tebas, eu acho apropriado para mim visitar o santuário sagrado do nosso deus, segurando em minhas mãos esta guirlanda e uma oferta de incenso, pois Édipo deixou a dor excessiva agarrar em seu coração e não entender o que está acontecendo agora pensando no passado, como um homem com bom senso. Em vez disso, eouve quem fala com ele de coisas terríveis. Não posso fazer mais nada por ele com meu conselho, e então, Lycean Apollo, eu vou até você, que está aqui ao nosso lado, uma suplicante, com ofertas e orações para você encontrar alguma forma de limpar o que nos corrompe. Por enquanto estamos com medo, assim como aqueles que em um navio veem seu timoneiro apavorado.

[JOCASTA coloca suas ofertas no altar.
Um MENSAGEIRO, um homem mais velho, entra]

MENSAGEIRO: Estranhos, podem me dizer onde encontro a casa de Édipo, seu rei? Melhor ainda, se vocês sabem, podem me dizer onde ele está?

LÍDER CHORUS: A casa dele é aqui, estranho, e ele está lá dentro. Esta senhora é a mãe de seus filhos.

MENSAGEIRO: Que seu lar feliz seja sempre abençoado, pois ela é sua rainha, verdadeira dona de sua casa.

JOCASTA: Desejo o mesmo para você, estranho. Suas belas palavras fazem você merecer tanto. Mas diga-nos agora por que você veio. Você busca informações, ou deseja nos dar algum relatório?

MENSAGEIRO: Senhora, tenho boas notícias para toda a sua casa — e para seu marido também.

JOCASTA: Que notícia é essa? De onde você veio?

MENSAGEIRO: Eu vim de Corinto. Vou lhe dar meu relatório de uma vez, e então você ficará, sem dúvida, feliz, embora talvez também fique triste.

JOCASTA: Quais são as suas novidades? Como podem ter dois desses efeitos ao mesmo tempo?

MENSAGEIRO: As pessoas que vivem lá, nas terras ao lado do istmo[20], farão dele seu rei. Eles o anunciaram.

JOCASTA: O que você está dizendo? O velho Polybus não é mais rei?

MENSAGEIRO: Não. Ele está morto e em seu túmulo.

---

20. Istmo: a cidade de Corinto ficava em uma estreita faixa de terra (o Istmo) conectando o Peloponeso com a Grécia continental, uma posição muito estratégica.

JOCASTA: O quê? O pai de Édipo morreu?

MENSAGEIRO: Sim. Se o que estou dizendo não é verdade, então eu mereço morrer.

JOCASTA: [para um servo] Você aí — vá imediatamente e diga isso ao seu mestre.

[O SERVO entra no palácio]

Oh, que será dos oráculos dos deuses! Édipo há muito tempo tem medo que iria matá-lo, por isso fugiu. Agora Polybus morreu, morto pelo destino e não por Édipo.

[Entra ÉDIPO pelo palácio]

ÉDIPO: Ah, Jocasta, minha querida esposa, por que você me chamou para sair de casa e vir aqui?

JOCASTA: Você deve ouvir este homem, e enquanto ouve, decida por si mesmo quais são essas profecias, essas proclamações solenes dos deuses.

ÉDIPO: Quem é este homem? Que relatoria ele tem para mim?

JOCASTA: Ele vem de Corinto, trazendo notícias de que Polybus, seu pai, não está mais vivo. Ele está morto.

ÉDIPO: O quê? Estranho, deixe-me ouvir de você pessoalmente.

MENSAGEIRO: Se devo relatar minhas notícias com bastante clareza, então primeiro devo informá-lo que Polybus morreu. Ele se foi.

ÉDIPO: Por traição, ou foi resultado de alguma doença?

MENSAGEIRO: Com corpos velhos um peso leve na balança traz paz final.

ÉDIPO: Aparentemente, sua morte foi de uma doença?

MENSAGEIRO: Sim, e pela velhice.

ÉDIPO: Ai de mim! Na verdade, senhora, por que qualquer homem deveria prestar a devida reverência ao santuário de Apollo, onde mora seu profeta, ou àqueles pássaros que gritam lá em cima? Pois eles predisseram que eu ia matar meu próprio pai. Mas agora ele está morto e está sob a terra, e eu estou aqui. Nunca toquei na minha lança. Talvez ele tenha morrido de desejo de me ver — então, nesse sentido, causei sua morte. Mas quanto a esses oráculos proféticos, eles são inúteis. Polybus levou consigo o prestígio dos oráculos.

JOCASTA: Não fui eu quem previ isso há algum tempo?

ÉDIPO: Sim, mas então fui desencaminhado por meus medos.

JOCASTA: Você não deve continuar enchendo seu coração com todas essas coisas.

ÉDIPO: Mas a cama da minha mãe... eu tenho medo disso e certamente deveria ter?

JOCASTA: Por que um homem cuja vida é governada pelo acaso vive com medo e nunca olha para a frente? Ninguém não tem uma visão certa de seu futuro. É melhor viver ao acaso, da melhor maneira possível. Não se preocupe se vai casar-se com sua mãe. É verdade que, em seus sonhos, muitos homens dormiram com suas próprias mães, mas alguém que ignora tudo isso leva a vida com mais facilidade.

ÉDIPO: Tudo o que você disse seria louvável se minha mãe ainda não estivesse viva. Mas já que ela está, devo permanecer com medo, embora o que você está dizendo esteja certo.

JOCASTA: Mas ainda assim, a morte de seu pai é um grande conforto para nós.

ÉDIPO: Sim, é bom, eu sei. Mas eu temo aquela senhora — ela ainda está viva.

MENSAGEIRO: Essa que você teme, que tipo de mulher ela é?

ÉDIPO: Ó velho, o nome dela é Mérope, esposa de Polybus.

MENSAGEIRO: E o que há nela que o deixa com tanto medo?

ÉDIPO: Uma terrível profecia enviada por deus.

MENSAGEIRO: É bem conhecida? Ou algo particular, que outra pessoa não tem o direito de saber?

ÉDIPO: Não, não. É de conhecimento público. Loxias[21] uma vez disse que era meu destino me casar com minha própria mãe e derramaria o sangue do meu pai com minhas

21. Loxias: um nome comum para Apollo.

próprias mãos. É por isso que, há muitos anos, deixei minha casa em Corinto. As coisas correram bem, mas, no entanto, perdi a mais doce alegria que olhar nos olhos dos próprios pais.

MENSAGEIRO: E porque você tinha medo dela ficou longe de Corinto?

ÉDIPO: E porque eu não queria ser o assassino do meu pai.

MENSAGEIRO: Meu senhor, vim para lhe fazer feliz, por que não te liberto desse medo?

ÉDIPO: Você receberia de mim um agradecimento digno.

MENSAGEIRO: É realmente por isso que vim — pois seu retorno pode trazer um benefício para mim.

ÉDIPO: Mas nunca voltarei para meus parentes.

MENSAGEIRO: Meu filho, é tão claro que você não tem ideia do que você está fazendo!

ÉDIPO: O que você quer dizer, velho? Em nome de todos os deuses, diga-me.

MENSAGEIRO: Se essa é a razão pela qual você é um fugitivo e não vai para casa...

ÉDIPO: Eu temo que a profecia de Apollo possa se revelar em mim.

MENSAGEIRO: Você está com medo de ser corrompido por seus pais?

ÉDIPO: Isso mesmo, velho. Esse é meu medo constante.

MENSAGEIRO: Você está ciente de que esses seus medos são sem fundamentos?

ÉDIPO: E por que isso? Se eu nasci filho deles...

MENSAGEIRO: Porque você e Polybus não eram parentes.

ÉDIPO: O que você quer dizer? Polybus não era meu pai?

MENSAGEIRO: Ele era tanto seu pai quanto este homem aqui, nem mais nem menos.

ÉDIPO: Mas como pode qualquer homem, que não significa nada para mim, ser como meu próprio pai?

MENSAGEIRO: Mas Polybus não era seu pai, não mais do que eu.

ÉDIPO: Então por que me chamou de filho?

MENSAGEIRO: Se você quer saber, ele o recebeu há muitos anos como um presente. Eu dei você para ele.

ÉDIPO: Ele realmente me amou. Como ele poderia se eu viesse de outra pessoa?

MENSAGEIRO: Bem, antes de você chegar, ele não tinha filhos — isso o fez amá-lo.

ÉDIPO: Quando você me deu a ele, você me comprou ou me encontrou por acidente?

MENSAGEIRO: Eu o encontrei nos vales florestais de Cithaeron.

ÉDIPO: O que você estava fazendo vagando por lá?

MENSAGEIRO: Eu estava cuidando de rebanhos de ovelhas.

ÉDIPO: Você era um pastor, apenas um servo contratado vagando aqui e ali?

MENSAGEIRO: Sim, meu filho, eu era e naquela época fui eu quem o salvei.

ÉDIPO: Quando você me achou e me pegou, que tipo de sofrimento eu estava passando?

MENSAGEIRO: Os tornozelos de seus pés podem dizer isso.

ÉDIPO: Ah, minha velha desgraça. Por que mencionar isso?

MENSAGEIRO: Seus tornozelos foram perfurados e amarrados. Eu os libertei.

ÉDIPO: Minha terrível marca de vergonha — Eu tenho essa cicatriz desde que era criança.

MENSAGEIRO: É por isso que a sorte lhe deu o seu nome, aquele que você ainda carrega[21] .

---

21. O nome Édipo pode ser interpretado como significando "pés inchados" ou "conhecimento dos pés". Ambos os termos evocam um sentido fortemente irônico de como Édipo, apesar de sua fama de homem de conhecimento, ignora sua origem.

ÉDIPO: Diga-me, em nome do céu, por que meus pais, meu pai ou minha mãe, fizeram isso comigo?

MENSAGEIRO: Não sei. O homem que deu você para mim sabe mais disso do que eu.

ÉDIPO: Você quer dizer que me pegou de outra pessoa? Não foi você quem tropeçou em mim?

MENSAGEIRO: Não, não fui eu. Outro pastor deu você para mim.

ÉDIPO: Quem? Quem era ele? Você sabe? Você pode me dizer quaisquer detalhes, aqueles que você conhece com certeza?

MENSAGEIRO: Bem, acho que ele era um dos servos de Laio — isso é o que as pessoas disseram.

ÉDIPO: Você quer dizer do rei Laio, aquele que governou este país anos atrás?

MENSAGEIRO: Isso mesmo. Ele era um dos pastores do rei.

ÉDIPO: Ele ainda está vivo? Ainda posso vê-lo?

MENSAGEIRO: Vocês que vivem aqui, coreutas, podem responder a isso.

ÉDIPO: [voltando-se para os coreutas] Algum de vocês aqui agora sabe do homem, deste pastor que ele descreve? Alguém já o viu, tanto no campo quanto aqui em Tebas? Responda-me. É crítico, finalmente é o tempo para descobrir o que isso significa.

LÍDER CHORUS: O homem que ele mencionou é, eu acho, o próprio camponês do campo que você queria ver antes. Mas disso Jocasta sabe mais do que ninguém.

ÉDIPO: Senhora, você conhece o homem que mandamos chamar — há poucos minutos — aquele que convocamos aqui? É a ele a quem este mensageiro se refere?

JOCASTA: Por que se preocupa com o que ele quer dizer? Esqueça tudo isso. Não adianta tentar entender o que ele disse.

ÉDIPO: Com todos esses indícios da verdade aqui ao meu alcance, não posso acabar com isso agora. Devo conhecer os detalhes do meu nascimento.

JOCASTA: Em nome dos deuses, não! Se você tem alguma preocupação com sua própria vida, então pare! Não continue investigando isso. Eu vou sofrer — isso será o suficiente.

ÉDIPO: Seja corajosa. Mesmo que eu acabasse sendo nascido de uma mãe vergonhosa, cuja família por três gerações foi de escravos, você ainda terá sua linhagem nobre.

JOCASTA: Ouça-me, eu imploro. Não faça isso.

ÉDIPO: Não serei convencido de que não devo saber toda a verdade sobre o que esses fatos significam.

JOCASTA: Mas eu me preocupo com seu próprio bem-estar — o que eu digo é para seu benefício.

ÉDIPO: O que você está me dizendo, para o meu próprio bem, apenas me traz mais angústia.

JOCASTA: Oh, seu infeliz! Que você nunca descubra quem você realmente é!

ÉDIPO: [para o refrão] Vá, um de vocês, e traga aquele pastor aqui. Deixe a senhora desfrutar de sua nobre família.

JOCASTA: Ai, seu pobre homem miserável! Não há mais nada que eu possa dizer a você. E agora nunca mais vou falar.

[JOCASTA corre para o palácio]

LÍDER CHORUS: Por que a rainha saiu correndo, Édipo, tão cheia de tristeza? Eu temo que uma tempestade desastrosa em breve romperá seu silêncio.

ÉDIPO: Então quebre o que quer que seja. Quanto a mim, não importa quão baixa tenha nascido minha família, desejo saber a semente de onde vim.Talvez minha rainha agora tenha vergonha de mim e da minha origem insignificante — ela gosta de interpretar a nobre senhora. Mas nunca me sentirei desonrado. Eu me vejo como um filho da Fortuna — e ela é generosa, é minha segunda mãe e meus irmãos durante anos me viram alternadamente, pequeno e grande. Foi assim que nasci. Não posso mudar para ser outra pessoa nem nunca cessar de buscar os fatos de meu próprio nascimento.

CORO: Se eu tiver algum poder de profecia ou habilidade em saber coisas, então, pelas divindades olímpicas, você, Cithaeron, na lua de amanhã certamente saberá que Édipo presta homenagem a você como sua terra natal tanto como sua mãe e sua enfermeira, e que nossa dança e música coral reconhece-o porque você é tão agradável ao nosso rei. Ó Phoebus, nós clamamos por você — que nossa música encha você de deleite! Quem lhe deu à luz, meu filho? Qual das deusas imortais deu-te a teu pai Pan, quem vagueiava pelas encostas das montanhas? Foi alguma filha de Apollo, o deus que ama todos os campos do país? Talvez do rei de Cyllene[22]? Ou foi o deus bacanal[23], morando no topo das montanhas, que o tomou como uma alegria recém-nascida de ninfas solteiras de Helicon com quem ele costuma brincar?

ÉDIPO: [olhando para longe do palácio] Anciãos, embora eu nunca tenha visto o homem que estamos procurando há muito tempo, se eu tivesse que adivinhar, acho que o vejo. Ele está vindo aqui. Ele parece muito velho, como é apropriado. E eu conheço as pessoas que vêm com ele, servos meus. Mas se você já o viu antes, você o reconhecerá melhor do que eu.

LÍDER CHORUS: Sim, eu reconheço o homem. Não há dúvidas. Ele trabalhou para Laio — um pastor fiel.

[Entra o SERVO, um velho pastor]

ÉDIPO: Estranho de Corinto, deixe-me perguntar-lhe primeiro — é este o homem que você mencionou?

MENSAGEIRO: Sim, ele é — ele é o homem que você vê na sua frente.

ÉDIPO: Você, ó velho, olhe para mim. Agora responda o que eu pergunto. Algum tempo atrás você trabalhou para Laio?

---

22. O rei de Cyllene é o deus Hermes, que nasceu no Monte Cyllene.
23. O deus bacanal é Dioniso.

SERVO: Sim, como um escravo. Mas eu não fui comprado. Eu cresci na casa dele.

ÉDIPO: Como você viveu? Qual foi o trabalho que você fez?

SERVO: Passei a maior parte da minha vida cuidando de ovelhas.

ÉDIPO: Onde? Em que áreas específicas?

SERVO: Em Cithaeron ou nas terras vizinhas.

ÉDIPO: Você sabe se você se deparou com este homem em algum lugar lá em cima?

SERVO: Fazendo o quê? Que homem você quer dizer?

ÉDIPO: O homem aqui — este. Você já se deparou com ele?

SERVO: No momento, não posso dizer que me lembro dele.

MENSAGEIRO: Meu senhor, isso certamente não é surpreendente. Deixe-me refrescar sua memória fraca. Eu acho que ele vai se lembrar muito bem do tempo que passamos em torno de Cithaeron. Ele tinha dois rebanhos de ovelhas e eu um. Eu estive com ele lá por seis meses seguidos, do início da primavera até o outono. No inverno, eu levava minhas ovelhas para o meu estábulo, e ele levava o seu para as canetas que Laio possuía. Não foi isso que aconteceu — o que acabei de dizer?

SERVO: Você falou a verdade. Mas isso foi há muito tempo.

MENSAGEIRO: Tudo bem, então. Agora, diga-me se você se lembra como você me deu uma criança, um menino, para eu criar como meu próprio filho adotivo.

SERVO: O quê? Por que perguntar sobre isso?

MENSAGEIRO: Este homem aqui, meu amigo, era aquela criança naquela época.

SERVO: Maldito seja! Você não pode ficar quieto sobre isso!

ÉDIPO: Espere aí, velho. Não o critique. O que você disse é mais questionável que as palavras dele.

SERVO: Meu nobre mestre, o que fiz de errado?

ÉDIPO: Você não nos falou daquele menino, aquele sobre o qual ele perguntou.

SERVO: Isso é o que ele diz, mas ele não sabe de nada — um intrometido inútil.

ÉDIPO: Se não nos contar por sua própria vontade, à força você falará.

SERVO: Por todos os deuses, não torture um velho!

ÉDIPO: Um de vocês aí, amarre as mãos desse sujeito.

SERVO: Por que você está fazendo isso? É muito para mim! O que é que você quer saber?

ÉDIPO: Aquela criança que ele mencionou — você deu a ele?

SERVO: Eu fiz. Como eu desejo ter morrido naquele dia!

ÉDIPO: Bem, você vai morrer se você não falar a verdade.

SERVO: E se eu fizer há uma chance ainda maior de eu ser morto.

ÉDIPO: Parece-me que o homem está tentando protelar.

SERVO: Não, não, não estou. Eu já lhe disse — eu dei a ele a criança.

ÉDIPO: De onde você a tirou? Veio de sua casa ou de outro lugar?

SERVO: Não era minha — eu a recebi de alguém.

ÉDIPO: De qual dos nossos cidadãos? De quem era a casa?

SERVO: Em nome dos deuses, meu senhor, não pergunte! Por favor, sem mais perguntas!

ÉDIPO: Se eu tiver que perguntar de novo, então você vai morrer.

SERVO: A criança nasceu na casa de Laio.

ÉDIPO: De um escravo ou de algum parente seu?

SERVO: Ai, o que estou prestes a dizer agora... é horrível.

ÉDIPO: E horrível para eu ouvir. Mesmo assim, preciso saber disso.

SERVO: Se você quer saber, eles disseram que a criança era dele. Mas sua esposa, que está dentro do palácio, é a única que poderia lhe contar melhor o que aconteceu.

ÉDIPO: Quer dizer que ela lhe deu o filho?

SERVO: Sim, meu senhor.

ÉDIPO: Por que ela fez isso?

SERVO: Para que eu o deixasse morrer.

ÉDIPO: Aquela desgraçada era a mãe?

SERVO: Sim. Ela tinha medo de profecias terríveis.

ÉDIPO: Que tipo de profecias?

SERVO: A história dizia que aquele menino mataria seu próprio pai.

ÉDIPO: Por que você deu a criança para este velho?

SERVO: Tive pena do menino, mestre, e pensei que ele levaria a criança para uma terra estrangeira, de onde ele era. Mas ao salvá-lo causei-lhe a maior dor de todas. Pois se você é aquele que este homem diz que você é, sabe que sua vida teve um destino terrível.

ÉDIPO: Ah, então tudo se tornou realidade. Está tão claro agora. Ó luz, deixe-me olhar para você uma última vez, sou um homem que se revela amaldiçoado por nascimento, amaldiçoado ao construir minha própria família, e amaldiçoado para assassinar quem eu não deveria matar.

[ÉDIPO retirar-se para o palácio]

CORO: Ó gerações de homens mortais, como considero sua vida mal vivida. Que homem, que ser humano, alcança uma felicidade maior do que meras aparências? As alegrias desaparecem após uma doce ilusão! Pobre Édipo desgraçado, seu destino está aqui para demonstrar para mim como nenhum homem mortal é abençoado.

Aqui estava um homem que atirou bem suas flechas — sua habilidade era incomparável — e ele recebeu a maior felicidade em tudo. Pois, Zeus, ele massacrou a Esfinge de garras de gancho e calou sua música enigmática. Para nosso estado, ele tornou-se uma torre contra a morte, e a partir desse momento, nós o chamamos de nosso rei e honramos acima de todos os outros homens aquele que governa na poderosa Tebas.

Mas agora quem tem uma história que é a mais terrível de se ouvir? Sua vida foi tão mudada por problemas, por tantas agonias ferozes. Infelizmente o célebre Édipo ocupou o mesmo lugar espaçoso de refúgio de seu pai como filho, o lugar em que entrou como novo esposo. Como pôde o sulco onde seu pai plantou, pobre homem desgraçado, o tolerar em tal silêncio por tanto tempo?

Tempo que assiste a tudo e descobre você, contra a sua vontade, agora julgará aquele casamento fatal, onde filho e esposo estão juntos há tanto tempo. Ó filho de Laio, como eu gostaria que nunca o tivessemos visto — agora eu choro como alguém cuja boca derrama lamentos. Para dizer a verdade, foi através de você que encontramos paz em nossas vidas e respiramos felizes novamente, e então, através de você, minha visões falharam.

[Um Emissário vem do palácio]

EMISSÁRIO: Ó vocês, honrados cidadãos de Tebas, mais ações vocês ouvirão e verão, quantas tristezas você vão suportar, se, como nativos aqui, vocês ainda são leais à casa de Labdacus! Eu não acho que os rios Ister ou Phasis poderiam limpar esta casa. Esconde muito e logo trará à luz as coisas mais vis, provocadas por escolha e não por acidente.[24] O que fazemos a nós mesmos nos traz mais dor.

LÍDER CHORUS: As calamidades que conhecíamos antes eram difíceis de suportar. O que você pode dizer para torná-las piores?

EMISSÁRIO: Não vou perder palavras — saiba disso — a nobre Jocasta, nossa rainha, está morta.

LÍDER CHORUS: Essa pobre senhora infeliz! Como ela morreu?

EMISSÁRIO: Ela se matou. Você não viu isso, então será poupado do pior do que aconteceu. Mas pelo que vi, você saberá como aquela pobre mulher sofreu. Ela saiu daqui frenética e correu para o palácio com dedos de ambas as mãos cerrados em seu cabelo e atirou-se em seu leito de casamento.

Depois, batendo as duas portas atrás dela, começou a gritar por Laio, que é um cadáver há muito tempo. Ela estava se lembrando daquele filho deles nascido há muitos anos — aquele que matou o pai, e com o qual concebeu filhos

---

24. Refere-se não a toda a história, mas ao que Jocasta e Édipo acabam de fazer a si mesmos.

amaldiçoados. Ela estava deitada gemendo na cama, onde ela, pobre mulher, deu à luz duas vezes. Não sei bem como ela morreu, pois, com um grito, Édipo irrompeu. Ele não nos deixou ver seu sofrimento, sua dor final. Nós o vimos correndo, em um vai e volta. Enquanto ele se movia, pedia para lhe darmos uma espada e encontrarmos aquela esposa que não era esposa — cujo ventre de mãe deu à luz a ele e a seus filhos. Enquanto ele delirava, algum poder imortal o levou ao quarto — nenhum humano na sala se aproximou dele. Com um uivo terrível, como se alguém o empurrase, saltou nas portas duplas, dobrou os parafusos à força para fora de seus encaixes, e irrompeu. Então nós a vimos. Ela estava pendurada lá, balançando, com cordas torcidas amarradas em volta do pescoço. Quando Édipo a viu, com um gemido terrível ele tomou seu corpo tirando-o do laço em que ela estava pendurada, e então, quando a pobre mulher estava deitada no chão — o que aconteceu a seguir foi uma visão horrível —, das roupas dela ele arrancou o broche de ouro que ela usava como ornamento, ergueu-o bem alto, e cravou sua ponta profundamente em seus olhos, chorando enquanto o fazia: — Você não verá mais todas aquelas coisas atrozes, as coisas terríveis que fez! Não. Você não verá aqueles que nunca deveria ter visto, nem aqueles que gostaria de reconhecer. Portanto, agora e todo o futuro, será escuro! — Com essas palavras, ele ergueu a mão e golpeou, não uma, mas muitas vezes, seus olhos. Com cada golpe o sangue jorrou de seus olhos em sua barba, e não em gotas únicas, mas chuvas de sangue escuro caiam como granizo. Então, o que esses dois fizeram sobrecarregou não a um sozinho — este desastre engole um homem e uma esposa juntos. Aquela velha felicidade que eles tinham antes em sua rica ancestralidade era a verdadeira alegria, mas agora é lamento e ruína, morte e vergonha, e todas as calamidades que os homens podem nomear são suas para guardar.

LÍDER CHORUS: E aquele homem sofredor encontrou algum alívio para a sua dor?

EMISSÁRIO: Ele grita com todos para abrir os portões e, assim, revelar a todos os cadmeianos, o assassino de seu pai, de sua mãe... mas não devo dizer essas palavras. Ele quer que o expulsem de Tebas, então a maldição que ele lançou não virá sobre esta casa se ele não morar lá dentro. Mas ele é fraco e precisa de alguém para conduzi-lo em seu caminho. Sua agonia é mais do que ele pode suportar — como ele irá mostrar a você, pois nas portas do palácio os parafusos estão sendo puxados para trás. Logo você terá uma visão que até mesmo um homem cheio de nojo teria que sentir pena.

[ÉDIPO entra pelas portas do palácio]

LÍDER CHORUS: Um destino terrível para os olhos humanos testemunharem, uma visão terrível — a pior que já vi. Pobre homem, que loucura o atingiu? Que força eterna se abateu sobre sua vida e o levou além do salto mais longo trazendo esta desgraça terrível? Ai de mim! Ai de mim! Seu infeliz! Eu não posso olhar para você. Eu quero lhe perguntar muitas coisas — há muito eu desejo aprender. Você me enche de tanto horror, no entanto, há muito que devo ver.

ÉDIPO: Aaaiiii, aaaiii... ai de mim! Ai de mim! Como sou miserável... tanta desgraça... para onde eu vou? Como podem as asas do ar varrer minha voz? Ai meu destino, quão longe você saltou agora!

LÍDER CHORUS: Para um lugar terrível do qual os homens se afastam, um lugar que eles odeiam olhar.

ÉDIPO: Ó, ao horror sombrio que me envolveu, este visitante sem nome, eu não posso resistir sendo varrido daqui por ventos justos e fatais. Ai de mim! E mais uma vez, ai de mim! A agonia de me perfurar com o broche me perturba! A memória da vergonha é dolorida!

LÍDER CHORUS: Em sua angústia, não é surpreendente você carregar uma carga dupla de sofrimento, uma carga dupla de dor.

ÉDIPO: Ah, meu amigo, então você ainda se preocupa comigo, como sempre, e com paciência cuida de mim agora que estou cego. Ai de mim! Ai de mim! Você não está escondido de mim — eu o reconheço muito claramente. Embora eu seja cego, conheço essa voz tão bem!

LÍDER CHORUS: Você realizou coisas tão terríveis — como pôde ousar se cegar dessa maneira? Que deus o levou a isso?

ÉDIPO: Foi Apollo, amigos, foi Apollo. Ele trouxe esses problemas — as coisas terríveis que sofro. Mas a mão que apunhalou meus olhos era só minha. Na minha vida miserável, por que eu deveria ter olhos quando nada que eu pudesse ver me traria alegria?

LÍDER CHORUS: O que você disse é verdade.

ÉDIPO: O que há para eu ver, meus amigos? O que posso amar? Qual saudação posso ouvir e sentir prazer? Depressa agora, meus amigos, levem-me para longe de Tebas, levem-me a algum lugar, um homem completamente perdido, totalmente amaldiçoado, o homem mortal que os deuses mais desprezam.

LÍDER CHORUS: Infeliz em seu destino e em sua mente que agora sabe tudo. Bom seria se eu nunca tivesse o conhecido!

ÉDIPO: Quem quer que seja o homem que libertou meus pés, quem me libertou daquele grilhão cruel e me resgatou da morte, que aquele homem morra! Foi um ato ingrato. Se eu tivesse morrido então, eu não teria trazido tanta agonia para mim ou para meus amigos.

LÍDER CHORUS: Eu concordo — Eu teria preferido sua morte também.

ÉDIPO: Eu não teria vindo para matar meu pai, e os homens não iriam ver em mim o marido da mulher que me deu à luz. Agora estou abandonado pelos deuses, o filho de uma mãe corrompida, conceber filhos com a mulher que me deu minha própria vida miserável. Se houver algum sofrimento mais sério do que todo o resto, então também pertence ao destino de Édipo.

LÍDER CHORUS: Eu não acredito que o que você fez para si mesmo é o melhor. Melhor estar morto do que vivo e cego.

ÉDIPO: Não me diga que o que eu fiz não é o melhor. E de agora em diante poupe-me seu conselho. Se eu pudesse ver, não sei como meus olhos poderiam olhar para o meu próprio pai quando eu chegar para Hades ou poderia ver minha mãe miserável. Contra aqueles dois cometi atos tão vis que mesmo que eu me enforque isso não seria punição suficiente. Talvez você pense que a visão de meus próprios filhos pode me dar alegria? Não! Veja como eles nasceram! Eles nunca poderiam trazer alegria aos meus olhos. Nem poderia ver a cidade ou suas paredes maciças, ou as imagens sagradas de seus deuses. Eu sou o mais aborrecido dos homens, eu, o melhor de todos aqueles criados em Tebas, eu me condenei, dizendo a todos eles que banissem com impiedade o homem que os deuses agora expuseram como um sacrílego — um filho de Laio também. Com essas manchas poluentes sobre mim, eu poderia colocar os olhos em você e segurar seu olhar? Não. E se eu pudesse de alguma forma bloquear meus ouvidos e matar minha audição, eu não iria me conter. Eu faria um calabouço deste corpo miserável, então eu nunca veria e ouviria novamente. Pois há alegria no pensamento isolado, selado de um mundo de tristeza. Ó Cithaeron, por que você me abrigou? Por que, quando eu fui entregue a você, não me matou de uma vez, então eu nunca revelaria aos homens a natureza do meu nascimento. Ah Polybus, e Corinto, o lugar que os homens chamavam de minha casa, casa antiga do meu pai, você me criou bem — tão bonito de se olhar, tão corrupto por dentro! Agora fui exposto como algo ruim, contaminado em minhas origens. Oh, vocês três estradas e bosque oculto da floresta, você mata e desfila onde três caminhos se encontram, você que engoliu o sangue do meu pai de minhas próprias mãos, você se lembra de mim, o que eu fiz ali na sua frente e depois o que mais eu fiz quando vim aqui para Tebas? Ah, seus rituais de casamento — você me deu à luz, e então quando eu nasci, você deu à luz novamente, filhos do filho desse mesmo útero, criando uma família de sangue incestuosa de pais, irmãos, filhos, noivas, esposas e mães — o ato mais atroz que os seres humanos cometem! Mas está errado falar sobre o que é errado fazer, então, em nome de todos os deuses, aja rapidamente — esconda-me em algum lugar fora da terra de Tebas, ou me mate, ou me jogue no mar, onde você nunca mais vai olhar para mim. Venha, permita-se tocar em um homem miserável. Ouça-me e não tenha medo — pois esta doença não infecta ninguém além de mim.

LÍDER CHORUS: Creon está chegando. Veio bem na hora para planejar e realizar o que você propõe. Com você fora, ele é o único que resta para atuar como guardião de Tebas.

ÉDIPO: Ai de mim, como vou falar com ele? Como posso perguntar a ele colocar recuperar sua confiança em mim? Não faz muito tempo fui tão injusto com ele!
Eu o tratei com tanto desprezo.

[Entra Creon]

CREON: Édipo, não vim aqui para zombar de você ou culpá-lo por desastres no passado. Mas se você não pode mais valorizar os seres humanos, pelo menos respeite nosso senhor o sol, cuja luz faz com que todas as coisas cresçam, e não se exiba dessa forma pública, porque nem terra, nem luz, nem chuva sagrada podem acolher tal visão.

[Creon fala com os servos atendentes]

Levem-o para dentro de casa o mais rápido que vocês puderem. A coisa mais gentil seria que os membros da sua família fossem os únicos a vê-lo e ouvi-lo.

ÉDIPO: Por todos os deuses, já que você está agindo agora tão diferente do que eu esperava e trata com carinho, o pior dos homens, faça o que eu peço. Falarei em seu próprio benefício, não no meu.

CREON: O que você está tão ansioso para conseguir de mim?

ÉDIPO: Expulse-me o mais rápido que puder, para longe de Tebas, para um lugar onde ninguém, nenhum ser humano vivo, cruzará meu caminho.

CREON: Isso é algo que eu poderia fazer, é claro, mas primeiro eu gostaria de saber o que o deus diz sobre o que devo fazer.

ÉDIPO: Mas o que ele disse estava tudo tão claro — o homem que matou seu pai deve ser destruído. E aquele homem corrompido sou eu.

CREON: Sim, foi o que disse. Mas agora, com as coisas do jeito que estão, o mais sábio é consultar o se deve que fazer.

ÉDIPO: Você fará um pedido em meu nome quando sou tão depravado?

CREON: Eu farei. Pois até você deve confiar nos deuses.

ÉDIPO: Sim. E eu tenho uma tarefa para você enquanto faço este apelo: aquela mulher da casa, por favor, enterre-a como achar melhor. Você é o único capaz de dar-lhe rituais fúnebres adequados. Mas nunca deixe a cidade do meu pai ser condenada por ter-me morando aqui enquanto ainda vivo. Deixe-me fazer minha casa nas montanhas Cithaeron, cuja fama agora é minha. Quando meu pai e minha mãe estavam vivos, eles as escolheram como meu local de sepultamento especial — e assim, quando eu morrer, estarei seguindo as ordens de quem tentou me matar. E ainda assim eu sei — nenhuma doença nem qualquer outro sofrimento pode me matar —, pois eu nunca teria sido salvo da morte, senão para sofrer um destino estranho. Mas aonde quer que meu destino leve, apenas deixe-me ir. Quanto aos meus dois filhos, Creon, não há necessidade de você cuidar deles em meu nome — eles são homens, portanto, não importa onde estejam, eles sempre terão o suficiente para viver.[25] Mas minhas duas pobres filhas nunca conheceram minha mesa de jantar colocada longe delas ou faltou-lhes a presença de seu pai. Elas compartilharam tudo que toquei — é assim que sempre foi. Portanto, cuide delas para mim. Mas primeiro deixe-me senti-las com minhas mãos e então sentiremos. Oh! Meu senhor, de coração nobre, deixe-me fazer isso — se minhas mãos pudessem tocá-las, acreditaria que as via como quando ainda podia ver.

[Alguns SERVOS conduzem ANTÍGONA e ISMÊNIA para fora do Palácio]

25. Os dois filhos de Édipo, Etéocles e Polinices, provavelmente teriam quinze ou dezesseis anos nesta época, não o suficiente para sucederem Édipo.

O que é isso? Por todos os deuses, eu ouço algo — são minhas duas queridas filhas chorando?... Creon teve pena de mim e mandou as crianças, meus queridos tesouros? É isso que está acontecendo?

CREON: Sim. Eu mandei buscá-las. Eu sei a alegria que elas sempre deram a você — a alegria que você sente agora.

ÉDIPO: Desejo-lhe tudo de bom. E por este ato, que o deus cuide de você e trate-o melhor do que ele me tratou. Ah, minhas filhas, onde estão vocês? Venham aqui, venham para os meus braços — vocês são minhas irmãs agora — sintam essas mãos que cegaram os olhos do seu pai, outrora tão brilhantes, onde você vê agora, esses soquetes vazios. Eu era um homem que, não vendo nada, não sabendo nada, gerei vocês com a mulher que dera à luz. Eu choro por vocês. Embora eu não possa ver, penso em suas vidas nos dias que virão, a vida amarga que os homens vão impor a vocês. Que cidadãos se associarão a vocês? Que festas vocês vão assistir e não voltarão para casa em lágrimas, sem participação na alegria? Quando vocês forem maduras o suficiente para o casamento, quem estará lá para vocês, minhas filhas? Que marido estará pronto para assumir a vergonha que contaminou minhas filhas e os filhos deles também? Que perversão não se manifesta em nós? Seu pai matou o pai dele, e lavrou útero de sua mãe — onde ele próprio nasceu — concebendo vocês onde ele também foi concebido. Esses são os insultos que vão lançar contra vocês. Quem, então, vai se casar com vocês? Ninguém, minhas filhas. Vocês devem murchar, estéreis e solteiras. Filho de Menoeceus, com ambos os pais falecidos, só você continua sendo o pai dessas crianças. Não as deixe viver como mendigas vagabundas, vagando solteiras. Você é um parente delas — não as deixe afundar para vida de desespero como a minha. Tenha piedade. Você as vê agora em sua tenra idade privadas de tudo, exceto da parte que você conceder-lhes. Prometa-me, alma nobre, você estenderá sua mão para elas. E vocês, minhas filhas, se suas mentes estivessem agora maduras, há muito que eu poderia dizer-lhes. Mas peço a vocês — rezem para que possam viver o melhor que puderem e levem suas vidas determinadas seren mais felizmente do que seu próprio pai.

CREON: Você já sofreu o suficiente. Agora entre na casa.

ÉDIPO: Devo obedecer, embora não seja isso o que eu desejo.

CREON: No devido tempo todas as coisas funcionarão da melhor maneira.

ÉDIPO: Eu irei. Mas você sabe que existem condições.

CREON: Diga-me. Depois de ouvi-las, vou saber quais são.

ÉDIPO: Mande-me morar fora de Tebas.

CREON: Só o deus pode dar o que você pede.

ÉDIPO: Mas me tornei abominável para os deuses.

CREON: Então você deve obter rapidamente o que deseja.

ÉDIPO: Então você concorda?

CREON: Eu não gosto de falar sem pensar e dizer o que não quero dizer.

ÉDIPO: Venha, leve-me embora.

CREON: Eu levo, mas deixe as crianças.

ÉDIPO: Não, não! Não as tire de mim.

CREON: Não tente satisfazer suas vontades. Perdeu o poder que você já teve.

[CREON, ÉDIPO, ANTÍGONA, ISMÊNIA e OS SERVOS DO REI entram no palácio[26]]

CORO: Vocês, residentes de Tebas, nossa terra natal, olhem para este homem, Édipo, aquele que entendeu o célebre enigma. Ele era o mais poderoso dos homens. Todos os cidadãos que testemunharam a riqueza deste homem estavam com inveja. Agora uma maré crescente de um terrível desastre o envolve. Não podemos chamar um mortal de feliz antes de ele passar para além da vida, livre de dor. Precisamos esperar até o dia final.

---

26. Não fica totalmente claro, a partir de agora, se Édipo deixa Tebas ou não. De acordo com o comentário de Jebb (linha 1519), na história tradicional no o qual Sófocles confia, Édipo foi involuntariamente mantido em Tebas por algum tempo antes que os cidadãos e Creon o expulsassem da cidade. Linhas de Creon sugerem que ele vai esperar uma resposta do oráculo antes de decidir sobre Édipo. No entanto, há uma lógica dramática poderosa em fazer Édipo tropeçar longe do palácio. No livro 23 da Ilíada, Homero indica que Édipo morreu em Tebas, e houve jogos fúnebres em sua homenagem naquela cidade.

Este livro foi composto com a tipografia Times New Roman
e impresso pela Meta Brasil.